1551820060

残疾人就业服务中心建设标准

建标 178—2016

主编部门：中国残疾人联合会
批准部门：中华人民共和国住房和城乡建设部
　　　　　中华人民共和国国家发展和改革委员会
施行日期：2 0 1 7 年 4 月 1 日

中国计划出版社

2016 北京

中华人民共和国住房和城乡建设部
中华人民共和国国家发展和改革委员会
残疾人就业服务中心建设标准
建标 178—2016
☆
中国计划出版社出版发行
网址：www.jhpress.com
地址：北京市西城区木樨地北里甲 11 号国宏大厦 C 座 3 层
邮政编码：100038　电话：(010)63906433(发行部)
三河富华印刷包装有限公司印刷

850mm×1168mm　1/32　1.125 印张　24 千字
2017 年 3 月第 1 版　2018 年 1 月第 3 次印刷
☆
统一书号：155182・0060
定价：12.00 元

版权所有　侵权必究
侵权举报电话：(010)63906404
如有印装质量问题，请寄本社出版部调换

住房城乡建设部 国家发展改革委关于批准发布《残疾人就业服务中心建设标准》的通知

建标〔2016〕273号

国务院有关部门,各省、自治区、直辖市、计划单列市住房城乡建设厅(建委、建设局)、发展改革委,新疆生产建设兵团建设局、发展改革委:

根据住房城乡建设部《关于下达2013年建设标准编制项目计划的通知》(建标〔2013〕162号)要求,由中国残疾人联合会组织编制的《残疾人就业服务中心建设标准》已经有关部门会审,现批准发布,自2017年4月1日起施行。

在残疾人就业服务中心建设项目的审批、核准、设计和建设过程中,要严格遵守国家关于严格控制建设标准、进一步降低工程造价的相关要求,认真执行本建设标准,坚决控制工程造价。

本建设标准的管理由住房城乡建设部、国家发展改革委负责,具体解释工作由中国残疾人联合会负责。

中华人民共和国住房和城乡建设部
中华人民共和国国家发展和改革委员会
2016年11月18日

前 言

《残疾人就业服务中心建设标准》(以下简称本建设标准)是根据住房城乡建设部《关于下达2013年建设标准编制项目计划的通知》(建标〔2013〕162号)的要求编制,由中国残疾人联合会作为主编部门,具体由中国建筑标准设计研究院有限公司和中国残疾人联合会计划财务部组成编制组共同编写。

在编制过程中,编制组进行了深入的实地调查研究及全国性的问卷调查,认真分析了全国既有残疾人就业服务中心的统计资料,在此基础上编制组遵循勤俭建国的方针及实事求是的精神,根据残疾人就业服务中心的功能定位和实际业务需求,进行了反复测算,广泛征求了各有关部门、专家的意见和建议,最后经有关部门会审定稿。

本建设标准共分6章:总则、建设规模与项目构成、选址与总平面布局、面积指标、建筑与建筑设备和主要技术经济指标。

请各单位在执行本建设标准的过程中,注意总结经验,积累资料。如发现需要修改和补充之处,请将意见和有关资料寄至中国残疾人联合会计划财务部(地址:北京市西城区西直门南小街186号,邮政编码:100034),以便今后修订时参考。

主 编 部 门:中国残疾人联合会
参 编 单 位:中国建筑标准设计研究院有限公司
中国残疾人联合会计划财务部
主要起草人:顾 均 李冬生 张全军 解宏德 宋力锋
李 强 刘立军 张振飞 涂强根 胡 姗
刘克勤

目 录

第一章 总　　则 …………………………………………（1）
第二章 建设规模与项目构成 ……………………………（2）
第三章 选址与总平面布局 ………………………………（4）
第四章 面积指标 …………………………………………（6）
第五章 建筑与建筑设备 …………………………………（8）
第六章 主要技术经济指标 ………………………………（10）
本建设标准用词和用语说明 ………………………………（11）
附件 残疾人就业服务中心建设标准条文说明 …………（13）

第一章 总　　则

第一条　为促进残疾人就业创业,规范残疾人就业服务中心的建设,合理确定建设规模,结合残疾人就业服务的特点及专业技术要求,制定本建设标准。

第二条　本建设标准是残疾人就业服务中心投资、决策和建设的统一标准,是编制、评估和审批残疾人就业服务中心建设项目建议书、可行性研究报告、初步设计以及对工程建设全过程监督检查的重要依据。

第三条　本建设标准适用于残疾人就业服务中心的新建、改建和扩建工程项目。

第四条　残疾人就业服务中心的建设,必须遵守国家有关法律和残疾人事业发展的有关法律、法规,从我国国情出发,根据残疾人的需要,综合考虑经济发展水平及社会发展对残疾人就业服务设施提出的新要求,合理确定建设规模和水平。

第五条　残疾人就业服务中心建设应满足为残疾人提供就业创业服务的功能需求,促进残疾人服务体系的健全。残疾人就业服务中心的建设宜纳入公共就业服务体系统筹管理。

第六条　残疾人就业服务中心的建设,应符合当地城乡规划的要求,考虑当地经济社会发展实际和残疾人事业发展规划、人口规模、残疾人口数量,因地制宜、节约能源、充分利用现有资源和城市基础设施,合理布局,应与所在地区基层综合便民服务中心统筹规划建设,避免重复建设。

第七条　残疾人就业服务中心的建设除应执行本建设标准外,尚应符合国家现行有关标准和定额的规定。

第二章 建设规模与项目构成

第八条 残疾人就业服务中心的建设规模应依据中心的建设级别确定。残疾人就业服务中心应按照所在辖区的残疾人人口数分为一至三级三个建设级别,当辖区残疾人人口数不确定时,则应依据所在辖区的常住人口数确定。具体分级方式见表1。

表1 残疾人就业服务中心建设分级表

建设级别	一级	二级	三级
辖区残疾人人口数(万人)	<4.4	4.4~50	>50
辖区常住人口数(万人)	<70	70~800	>800

第九条 残疾人就业服务中心建设项目构成应包括房屋建筑、建筑设备和场地。

第十条 房屋建筑应包括窗口服务用房、职业评测用房、培训与教育用房、就业训练与生产劳动用房、生活用房、辅助用房等。

第十一条 建筑设备应包括建筑给排水系统及设备、暖通空调系统及设备、建筑供配电系统及设备、弱电系统及设备和无障碍设施等。

第十二条 场地应包括建设用地范围内的道路、绿地、室外活动场地和停车场等。

第十三条 房屋建筑中各类用房应由下列内容分别构成:

一、窗口服务用房可由综合服务厅等房间组成。

二、职业评测用房可由评测用房、职业指导用房、信息管理用房及心理辅导用房等房间组成。

三、培训与教育用房可由教育培训用房、技能展示用房、创业指导用房等房间组成。

四、就业训练与生产劳动用房可由实操车间、模拟工场、库房及创业孵化工作室等房间组成。

五、生活用房可由食堂、公共浴室、教工宿舍、学员宿舍或休息室、储藏室等房间组成。

六、辅助用房可由业务管理用房、值班用房及保障系统用房等房间组成。其中,保障系统用房指医务室、洗衣房、变配电房、锅炉房及设备间等。

第三章 选址与总平面布局

第十四条 残疾人就业服务中心的选址应充分考虑残疾人的特殊性,并满足下列要求:

一、应选择工程地质和水文地质条件较好、地势相对平坦的地段。

二、应选择周边市政基础设施较完备的地段。

三、宜布置在城区或近郊区,且方便残疾人出入、公共交通服务便利的地段。

四、应远离污染源和有易燃、易爆等危险源威胁的地区。

第十五条 残疾人就业服务中心的总平面布局应符合下列规定:

一、布局应合理、紧凑,内部流线科学便捷,管理安全方便,减少能耗。

二、根据不同地区的气候条件,建筑物的朝向应根据气候条件合理确定,建筑布局应合理采用自然通风和自然采光。

三、应保证场地干燥、日照充足、排水通畅、环境优美。

第十六条 残疾人就业服务中心的房屋建筑宜为低层或多层;当与其他建筑合并建设时,应设置于合建建筑的低层或多层部分;当与相关服务于残疾人的建筑合建时,可设置独立的出入口;当与其他类型的建筑合建时,应设置独立区域及出入口。

第十七条 残疾人就业服务中心机动车及非机动车停车位应按照当地城乡规划要求结合主要出入口进行设置,并应符合下列规定:

一、残疾人专用停车位数量不应少于总车位数的20%。每车位所占面积应符合残疾人停车有关规定。

二、残疾人专用停车位的设置应符合现行国家标准《无障碍设计规范》GB 50763的规定。

第十八条 独立建设的残疾人就业服务中心的建筑密度不宜超过40%,容积率宜为0.6~1.5,绿地率应满足当地城市规划管理部门的规定,宜为30%左右。

第四章 面积指标

第十九条 各级残疾人就业服务中心分为设住宿的一类机构、不设住宿的二类机构及一类、二类混合机构。

一类、二类各级残疾人就业服务中心的建设规模及建筑面积指标,应根据各级相应的培训人数指标及人均建筑面积指标分别确定,并应符合表2的规定。

表2 一类、二类各级残疾人就业服务中心培训人数指标及建筑面积指标

建设级别		一级	二级	三级
每期培训人数(人)		15～40	50～90	100～160
人均建筑面积(m^2)	一类	37	36	35
	二类	30	29	28
总建筑面积(m^2)	一类	555～1480	1800～3240	3500～5600
	二类	450～1200	1450～2610	2800～4480

注:1 每期各级培训人数依据表1、表2按插入法计算,结果按四舍五入精确到个位。

2 若一级中心所在辖区残疾人人口数少于0.5万人,中心每期培训人数至少为15人。

3 可根据需要设置创业孵化工作室且另增相应面积,每工作室建筑面积宜为 $35m^2$,各级每个中心设置工作室数量不宜超过4个。

4 设置地下车库或人防设施时,该部分建筑面积应另计。

5 残疾人就业服务中心的就业训练与生产劳动用房如有特殊工艺要求,且所需建设规模、建设内容在本建设标准不能涵盖时,可根据实际需求据实向上级主管部门申报。

第二十条 同时设有住宿和非住宿的一类、二类混合机构的建筑面积,应在每期总培训人数不变的基础上,依据住宿与非住宿的培训人数比例,按一类人均建筑面积指标和二类人均建筑面积指标两项分别计算后叠加。

第二十一条 残疾人就业服务中心建筑的使用面积系数不应低于0.65。

第二十二条 一类和二类残疾人就业服务中心各项用房面积在建筑总面积中的比例宜符合表3的规定。

表3 残疾人就业服务中心各项用房面积比例分配表(%)

用房项目名称	一 类	二 类
窗口服务用房	8	10
职业评测用房	8	10
培训与教育用房	12	15
就业训练与生产劳动用房	25	31
生活用房	34	18
辅助用房	13	16
合计	100	100

注:表中各项用房面积比例可根据实际需要上下适当浮动。

第五章 建筑与建筑设备

第二十三条 残疾人就业服务中心应按功能要求、服务流程和残疾人特点要求进行布置,做到分区合理、流线安全畅通。

第二十四条 残疾人就业服务中心的建筑出入口及室内外场地等供残疾人使用的区域,均应设置无障碍设施,并应符合现行国家标准《无障碍设计规范》GB 50763 的规定。学员宿舍附属卫生间及供残疾人使用的公共厕所均应采取无障碍设计。

第二十五条 残疾人就业服务中心为二层及以上建筑的应设置无障碍电梯或升降平台。总建筑面积超过 3000m²,且层数超过三层时,应至少设置两台无障碍电梯。条件较困难的也可设置轮椅坡道。残疾人轮椅坡道建筑面积另计。

第二十六条 残疾人就业服务中心应设置明显的无障碍标识系统。

第二十七条 残疾人就业服务中心房屋建筑耐火等级和消防设施的配置应遵守国家建筑设计防火规范的有关规定。一级残疾人培训服务中心的各楼层可设置残疾人防灾避难间,二级、三级残疾人培训中心的各楼层宜设置残疾人防灾避难间,以满足紧急救援要求。

第二十八条 残疾人就业服务中心各类用房应符合国家结构安全及抗震设防的有关规范规定。主要建筑的结构形式应考虑使用的灵活性和改造的可能性,同时要符合国家和地方有关建筑节能标准的规定。

第二十九条 残疾人就业服务中心的建筑装修和环境设计应清新、典雅、朴素,应体现人文关怀,并与周围环境相协调,且满足残疾人就业培训功能要求。

第三十条 残疾人就业服务中心应配置给排水设施,并应符合国家相关卫生标准。

第三十一条 残疾人就业服务中心的排水、排污和废弃物的处理应符合环保法规和有关规定的要求。

第三十二条 残疾人就业服务中心在采暖地区宜采用热水供暖。位于寒冷(B区)、夏热冬冷、夏热冬暖地区的宜设置空调设备,并有通风换气装置。

第三十三条 残疾人就业服务中心的供电应满足学习、生产、生活设施、设备的用电负荷要求,并应配备应急照明系统。

第三十四条 残疾人就业服务中心的弱电系统应满足管理、通信、网络、安全防范、监控等业务需求。

第六章 主要技术经济指标

第三十五条 残疾人就业服务中心的投资估算,应按照国家及各地区有关规定编制,并根据工程实际内容及工程所在地区的市场价格波动,按照动态管理的原则进行适当调整。

第三十六条 不同级别的残疾人就业服务中心的投资估算指标,可参照表4进行控制。

表4 残疾人就业服务中心投资估算指标

级别	总建筑面积(m^2)	投资估算指标(元/m^2)
一级	450~1480	4600~4151
二级	1450~3240	4331~3694
三级	2800~5600	3984~3416

注:1 表中投资估算指标不包括征用土地费和室内家具购置费等。
    2 表中投资估算指标所包括的工程建设其他费用,主要包括:勘察设计费、监理费、施工图审查费、招投标费、工程量清单及招标控制价编制费和环境影响评价费等,可结合工程所在地区的相关计费规定适当调整。
    3 若需要配套建设高压变配电工程,宜增加投资80万元~100万元。
    4 采暖地区若需要独立建设热交换站或锅炉房,宜增加投资50万元~70万元。
    5 非采暖地区可参照本表指标下浮2%。
    6 表中投资估算指标所包括的装饰工程是指室内外普通标准的装饰工程。
    7 表中投资估算指标是参照2014年北京市现浇钢筋混凝土框架结构房屋建筑工程,采用2014年第四季度人工、材料及机械费市场价格及相关取费标准进行测算的结果。
    8 相同级别的,面积规模小的取上限,面积规模大的取下限,其他面积规模的按插值法测算。
    9 投资估算指标适用于一类和二类。

第三十七条 工程建设工期可按照《建筑安装工程工期定额》相关规定计算确定。

本建设标准用词和用语说明

1 为便于在执行本建设标准条文时区别对待,对要求严格程度不同的用词说明如下:

  1)表示很严格,非这样做不可的:
    正面词采用"必须",反面词采用"严禁";
  2)表示严格,在正常情况下均应这样做的:
    正面词采用"应",反面词采用"不应"或"不得";
  3)表示允许稍有选择,在条件许可时首先应这样做的:
    正面词采用"宜",反面词采用"不宜";
  4)表示有选择,在一定条件下可以这样做的,采用"可"。

2 条文中指明应按其他有关标准执行的写法为:"应符合……的规定"或"应按……执行"。

附件

残疾人就业服务中心建设标准

建标 178—2016

条文说明

目 录

第一章 总 则 …………………………………………（17）
第二章 建设规模与项目构成 …………………………（19）
第三章 选址与总平面布局 ……………………………（22）
第四章 面积指标 ………………………………………（23）
第五章 建筑与建筑设备 ………………………………（26）
第六章 主要技术经济指标 ……………………………（27）

第一章 总 则

第一条 残疾人是社会的弱势群体，由于残疾的原因，残疾人就业比一般健全人困难许多，导致因残致贫、社会地位及认知度较低。对残疾人的关爱，首先要尽可能帮助他们自强自立，回归和融入社会，因此为残疾人提供就业服务就是具体的有效措施。

但目前我国残疾人就业服务中心的建设整体上较为薄弱，标准欠缺、设施不足、服务水平较低。《中国残疾人事业"十二五"发展纲要》已明确提出要加快残疾人事业发展，健全残疾人社会保障体系和服务体系，为残疾人生活和发展提供稳定的制度性保障。本建设标准将有利于残疾人就业服务中心的建设走向标准化、规范化、科学化的管理轨道，以满足广大残疾人、残疾人家庭和社会的需要。

第二条 本建设标准是为项目决策服务的统一标准，在技术、经济、管理上起宏观管理作用，具有很强的政策性、实用性，是编制、评估、审批残疾人就业服务中心建设项目建议书、可行性研究报告的重要依据，也是有关部门审查工程项目初步设计和监督检查建设标准的重要尺度。

第四条 残疾人就业服务中心的建设必须与项目所在地区社会经济发展、残疾人需求相适应，同时要根据当地实际情况，处理好需要与可能、现状与发展的关系，力求使残疾人就业服务中心建设在规模、功能、设备、建设水平等方面达到比较合理的水平。残疾人就业服务中心建设工作应依法进行，必须遵守国家有关经济建设的法律、法规，增强科学性，避免盲目性、随意性。残疾人就业服务中心建设应满足为残疾人提供日常服务和指导就业培训的功能需求，促进残疾人服务网络体系的完善。

第六条 残疾人就业服务中心建设工作要符合区域残疾人事业的

规划和当地城乡建设总体规划要求,核心是科学设置机构、合理确定规模、避免重复浪费。为提高使用效率,残疾人就业服务中心应与所在地区基层综合便民服务中心统筹规划建设。残疾人就业服务中心包括中心、所、站等机构。

第七条 本条规定了本建设标准与现行有关标准和定额之间的关系。残疾人就业服务中心项目作为城市建设的一部分,在编报工程项目计划及建设过程中,除应执行本建设标准外,尚需符合城乡建设规划,建筑工程相关规范、标准及定额等。

第二章 建设规模与项目构成

第八条 残疾人就业服务中心按照各地残疾人人口规模、常住人口规模划分为一级、二级、三级三个建设级别,三个级别的机构(即中心、所、站)共同组成了残疾人就业服务完整的服务体系。

本建设标准按行政辖区内残疾人人口数作为建设级别确定依据,同时参照行政辖区内常住人口数。人口数的确定首先根据2010年第六次全国人口普查的统计数据得出省(自治区、直辖市)、地(市、州、盟)常住人口数,并按照我国各类残疾人人数约占总人数的6.3%的比例计算得到辖区残疾人人口数(附表1)。

国发〔2014〕51号《国务院关于调整城市规模划分标准的通知》中指出,常住人口包括:居住在本乡镇街道,且户口在本乡镇街道或户口待定的人;居住在本乡镇街道,且离开户口登记地所在的乡镇街道半年以上的人;户口在本乡镇街道,且外出不满半年或在境外工作学习的人。

我国幅员辽阔,各级行政辖区常住人口数量、人口密度不尽相同。针对我国人口分布与数量情况进行分析研究,基于第六次人口调查中全国人口数最多的几个省为上线筛选数据,以残疾人人口数彼此交叉10%为界限划定服务辖区的残疾人人口数区间,即将"4.4万人"作为一级机构与二级机构的分界点,将"50万人"作为二级机构与三级机构的分界点。

根据各行政级别辖区内残疾人人口数确定建设级别对应的辖区内残疾人人口数区间。即:残疾人人口数小于4.4万人的辖区应建设一级残疾人就业服务中心,此类辖区对应于绝大部分的县(县级市、区、旗、建制镇);残疾人人口数大于或等于4.4万人,且小于或等于50万人的辖区应建设二级残疾人就业服务中心,此类辖区对应于绝大部分的地(市、州、盟);残疾人人口数大于50万人的辖区应建设三级残疾人就业服务中心,此类辖区对应于绝大部分的省(自治区、直辖市),该区间范围所对应的建设级别基本满足所在行政辖区需求。由于我国各地相同行政区内人口规模变化大,因此,辖区行政级别和建设级别未完全对应,应以辖区内人口规模作为建设级别确定的依据。

附表1 2010年第六次全国人口普查数据常住人口(万人)

省　　份	人口总数	残疾人口数(6.3%)
广东	10430.31	657.11
山东	9579.31	603.50
河南	9402.36	592.35
四川	8041.82	506.63
江苏	7865.99	495.56

附表2 2013年国家统计局常住人口统计*(万人)

省　　份	人口总数	残疾人口数(6.3%)
广东	10644.00	670.57
山东	9733.39	613.20
河南	9413.35	593.04
四川	8107.00	510.74
江苏	7939.49	500.19

注:*为2014年发布年度人口抽样调查推算数据。

根据附表1和附表2两个年度人口统计情况分析,我国人口前三位近一亿人口的三个省残疾人统计不超过675万人。带入计算公式后,得出每期残疾人培训人数160人,可以涵盖全国5个人口最多的省份,以此可以推算出建设规模的最大值。

第十三条　本条规定了各类用房的构成和各项目用房中包含的具体使用房间类型。其中,培训与教育用房不但对残疾人进行培训,二级、三级的机构还兼有对师资队伍进行培训的任务。

窗口服务用房可由综合服务厅等房间组成,综合服务厅具有多种功能,涉及为残疾人办证、建档、就业登记,公布企业招聘信息,组织招聘会、供求见面会,培训班登记管理等事宜,担负着为残疾人劳动者提供政策咨询、信息发布、职业指导、职业介绍以及办理就业登记、失业登记等具体工作。

职业评测用房也是重要的功能用房,在这里先对残疾人进行生理和心理方面的评测,决定其适合的职业方向。

就业训练与生产劳动用房根据残疾人工作能力及当地的生产需要,选择适当的内容和生产模式。特殊工艺的生产劳动用房,建筑面积可参照其他生产单位标准进行建设。

培训后为巩固残疾人的培训技能,鼓励、扶持残疾人创业,就业服务中心设置创业孵化工作室(亦称创业孵化基地)是行之有效的措施,应予推广。

辅助用房可由业务管理用房、值班用房及保障系统用房等房间组成。其中,保障系统用房指医务室、洗衣房、变配电房、锅炉房及设备间等,同时应考虑住宿学员衣被晾晒场地。在高寒地区的就业服务中心需配置专用车辆时,可以考虑增设地上车库以维护车辆。

第三章 选址与总平面布局

第十六条 本条规定了残疾人就业服务中心建设合理节约利用土地应采取的措施。考虑到残疾人的行动特点,为方便残疾人的使用,不应建设高层建筑。对于土地用地紧张,面临与其他建筑合建的情况,本条提出入口设置的方式,以便合理解决残疾人的活动流线的设置。

第十七条 本条规定了残疾人就业服务中心残疾人专用停车及非机动车停车位设置的要求,并根据调研数据测算确定了残疾人专用停车位数量不应少于总车位数的20%。

第十八条 本条规定了建筑密度、容积率和绿地率的要求。

基于建设规模及功能要求,残疾人就业服务中心宜为低层或多层建筑。若建筑密度按30%~45%计算,设施为一至三层时,建筑容积率为0.3~1.0;设施为三至六层时,建筑容积率为1.0~1.5,为节约有限的土地资源不宜建一层,容积率取二层下限0.6,六层上限1.5,因此,本建设标准建议容积率按0.6~1.5控制。在节约用地的前提下,建筑密度不宜超过40%,绿化率宜为30%左右。残疾人就业服务中心宜与其他建筑合并建设,容积率按照合建建筑的容积率要求确定。

第四章 面 积 指 标

第十九条 根据残疾人就业培训时间较长的特点,就业服务中心分两个类别。其中集中住宿的残疾人就业服务中心为一类残疾人就业服务中心,而就近为残疾人提供服务,不设集中宿舍的非住宿的残疾人就业服务中心作为二类残疾人就业服务中心。两类残疾人就业服务中心对于住宿与否,规定了不同的建设规模。

一类残疾人就业服务中心在住宿的基础上,可根据辖区交通条件、就业服务机构服务半径和残疾人需求增设非住宿功能,形成一类、二类混合就业服务中心。

残疾人由于身体情况造成行动不便,部分人员还需要有陪护,出行是否便利是影响培训率的因素。对于某些培训,如盲人按摩培训、实操等班,应以集中培训为主,为残疾人提供食宿;因选址原因而造成场地偏远、残疾人出行不便的就业服务中心等机构,也应提供食宿;对于可以利用城区中心场地开办培训班的就业服务中心,可根据培训班的性质安排午间休息室。利用社会力量办学的政府购买服务模式应大力提倡,但需加大管理监督力度保证残疾人的人身安全。

本条规定了一类有住宿和二类非住宿的就业服务中心的各项设施的规模控制指标及建筑面积指标。一类、二类机构以每期培训的人数作为建设规模的控制指标,每期培训人数是依据调研结果确定的。不同辖区的每期培训人数根据辖区残疾人人口数依据条文中表1与表2用插入法计算得出,结果按四舍五入精确到个位。也可代入附表3的公式计算得出。

附表3 一类、二类各级残疾人就业服务中心培训人数指标

建设级别	一 级	二 级	三 级
每期培训人数计算公式	$15+6.41(r-0.5)$	$50+0.88(r-4.4)$	$100+0.096(r-50)$

注：r 指辖区残疾人人口数（万人）。当辖区残疾人人口数不确定时，则按辖区常住人口数的6.3%计算辖区残疾人人口数。

例如：2013年国家统计局人口统计中广东省常住人口为10644万人，按残疾人人口占常住人口的6.3%计算，广东省共有残疾人670.57万人，带入三级公式计算，$100+0.096×(670.57-50)≈159.57$（人），即每期培训人数为160人。

按河南省统计局公布的《2013年河南人口发展报告》，2013年末河南省总人口为10601万，共有残疾人667.863万，带入公式计算，$100+0.096×(667.863-50)≈159.3$（人），即每期培训人数为159人。

计算公式中的系数为调研结果，是考虑到各级的实际情况后经计算确定。

以各级建设规模指标对应的人均建筑面积与每期培训人数的乘积来确定就业服务中心总建筑面积。

虽然非住宿培训的就业服务中心不设宿舍，但考虑到残疾人的特殊身体状况及全日培训的要求，二类机构应设有残疾人专用的午间休息室。

根据调研，部分机构设置了创业孵化工作室（亦称创业孵化基地），对推进残疾人自主创业效果显著，因此，本建设标准在表2注3中对创业孵化工作室的设置及面积指标做出了相应规定，一是要依据当地需求设置，二是对工作室的数量及面积均有上限控制，这类用房是非经营性用房。

由本建设标准确定的残疾人就业服务中心建设项目可为残疾人提供基本的就业服务。但我国幅员辽阔，地区、民族差异大，各地经济、社会发展程度也不尽相同，各地的残疾人就业服务培训内容需求也不完全相同，如西藏对残疾人进行编织地毯的培训，就对

场地有更大的要求。因此,如机构建设有特别培训工艺的要求,且本建设标准不能涵盖所需建设规模时,可向上一级政府主管部门据实单独申报。

第二十条 本条对一类、二类混合的就业服务中心总建筑面积的确定作了规定。

第二十一条 残疾人就业服务中心由于大小规模不一,一级宜按使用面积系数 0.65 计算,二级、三级宜按使用面积系数 0.7 计算,但各级中心使用面积系数均不得低于 0.65。

根据对既有残疾人就业服务中心的调研,残疾人就业服务中心教职员工数与每期培训人数的比例宜为 1∶7.5,以此为依据测算教职员工所需的房屋建筑面积。

第二十二条 本条是对各级残疾人就业服务中心建筑面积计算指标做出的阐述和规定。各项用房建筑面积按照比例来确定规模,相比于用确定的面积数值来确定用房规模,更能适应我国不同地区残疾人就业需求差异较大的情况,便于实际操作。要明确的是,此各项用房建筑面积所占比例是根据相关标准测算及实地调研结果确定的,一般情况下可满足各项用房的使用,但也可根据各地的实际情况在比例上进行适当的调整,但建筑的总面积不能突破。

第五章 建筑与建筑设备

第二十三条 残疾人就业服务中心的总平面布置要安排好残疾人教育培训、劳动、生活和行政后勤供应区的分区,组合好建筑空间,组织好交通流线,合理安排人流、物流的路线,在残疾人就业服务中心形成有秩序的动态环境。同时,要满足规划、消防、交通、环保、卫生防疫等部门的要求。

第二十四条、第二十五条 此两条指出残疾人就业服务中心设置无障碍电梯、升降平台、轮椅坡道、紧急避难间的条件。垂直交通是二层及以上残疾人就业服务中心无障碍建设的首要问题,为方便残疾人使用,建议垂直交通设无障碍电梯。当设置轮椅坡道时,由于坡道所占建筑面积较大,可另行计算,不计入本建设标准规定的总建筑面积中。

第二十六条 残疾人就业服务中心应设置明显的无障碍标识系统,在相关位置应设置盲文、语音、闪光等信息交流无障碍设施,无障碍标识的位置、字体大小、亮度、色彩、易理解度等应方便残疾人识别。在设计时还应预留辅助器具存放、导盲犬休息区域等位置。

第二十七条 在紧急情况下,残疾人由于行动不便,在疏散时有一定困难,设置防灾避难间可让不能及时疏散的残疾人临时安全避难,等待救援。因此本条特此做出相应规定。

第三十条至第三十四条 这几条规定了残疾人就业服务中心给排水设施建设要求,排水、排污和废弃物的处理要求,供暖方式,供电和照明要求,弱电要求,管理监控要求。

建筑设备及系统是现代建筑不可或缺的系统工程。残疾人就业服务中心作为直接服务于残疾人的社会基础服务设施,建筑设备及系统的作用和价值表现得尤为突出。因此,在项目全过程中对此应有充分的考虑,防止项目建造功能不足,二次修补造成浪费。

第六章　主要技术经济指标

第三十五条　本条是关于残疾人就业服务中心的投资控制原则，以及投资估算指标的适用范围。

第三十六条　本条提出了不同级别的残疾人就业服务中心的投资估算指标。

建设项目总投资包括建设投资、建设期贷款利息和流动资产投资三部分。由于残疾人就业服务中心是政府向残疾人提供就业服务的设施，且考虑各地区的经济发展水平存在差异，故建设期贷款利息和流动资产投资两部分未列入本建设标准的估算指标。其中，建设投资包括建筑安装工程费、工程建设其他费和预备费。工程建设其他费主要包含勘察设计费、监理费、施工图审查费、招投标费、工程量清单及招标控制价编制费和环境影响评价费等，可结合工程所在地区的相关计费规定适当调整。

建筑安装工程费包括建筑工程、安装工程和场地工程三部分。其中，建筑工程包括土建工程及室内外装饰工程；安装工程包括给排水系统及设备、暖通空调系统及设备、电气系统及设备等，相同面积规模的情况下，采暖地区略高于非采暖地区；场地工程包括建设用地范围内的道路、绿地、室外活动场地和停车场等，按建筑工程和安装工程投资合计的6%计列。

工程建设其他费按建筑安装工程费的11%计列。

预备费按建筑安装工程费和工程建设其他费合计的5%计列。

若需要配套建设高压变配电工程，可根据变配电容量及室外管线的距离，适当增加投资80万元～100万元。

采暖地区若需要独立建设热交换站或锅炉房，可根据热负荷及室外管线的距离，适当增加投资50万元～70万元。

条文中表4提出的投资估算指标未考虑特殊地形地貌、特殊地质条件及特殊气候条件等特殊情况。